"As grandes empresas sabem que não podem confiar apenas no conhecimento do produto ou na expertise técnica. Elas perceberam que, no mundo de hoje, o verdadeiro especialista é o cliente."

"Quanto maior for o diálogo, melhor será o resultado de vendas."

COMO SER UM VENDEDOR DE SUCESSO

20 táticas para se tornar um especialista em vendas

Linda Richardson

SEXTANTE

Título original: *The Sales Success Handbook*
Copyright © 2003 por Linda Richardson
Copyright da tradução © 2006 por GMT Editores Ltda.
Todos os direitos reservados. Nenhuma parte deste livro pode ser reproduzida sob quaisquer meios existentes sem autorização por escrito dos editores.
Publicado em acordo com a McGraw-Hill Companies, Inc.

tradução: Eduardo Refkalefsky
preparo de originais: Débora Chaves
revisão: Sérgio Bellinello Soares e Tereza da Rocha
projeto gráfico e capa: Cristiano Menezes
diagramação: Marcia Raed
fotolitos: R R Donnelley
impressão e acabamento: Yangraf Gráfica e Editora Ltda.

CIP-BRASIL. CATALOGAÇÃO-NA-FONTE
SINDICATO NACIONAL DOS EDITORES DE LIVROS, RJ

R389c

Richardson, Linda, 1944-
      Como ser um vendedor de sucesso / Linda Richardson; tradução de Eduardo Refkalefsky. – Rio de Janeiro: Sextante, 2006.
                    (Desenvolvimento profissional)

      Tradução de: The sales success handbook
      ISBN 85-7542-227-8

      1. Vendas – Manuais, guias, etc. I. Título. II. Série.

06-1609   CDD 658.85
                                                               CDU 658.85

Todos os direitos reservados, no Brasil, por
GMT Editores Ltda.
Rua Voluntários da Pátria, 45/1.404 - Botafogo
22270-000 - Rio de Janeiro - RJ
Tel.:(21) 2538-4100 - Fax:(21)2286-2286-9244
E-mail:atendimento@esextante.com.br

SUMÁRIO

◎ DIÁLOGO DE VENDAS

Diálogo de vendas. O que é isto? Sem dúvida, é mais do que simplesmente uma conversa. Trata-se de uma troca de informações que começa e termina no cliente cujas necessidades estão sendo avaliadas.

Você já teve a oportunidade de analisar detalhadamente sua abordagem de vendas? Os ensinamentos apresentados neste livro são as ferramentas ideais para ajudá-lo a se conhecer melhor e a entender suas forças e fraquezas. Este processo lhe trará maior desenvoltura e conhecimento, táticas mais eficazes, habilidades naturais mais afiadas e, conseqüentemente, melhores resultados de vendas – afinal, você conseguirá estabelecer diálogos dinâmicos com os clientes.

Você deve estar pensando: "Mas eu já faço isto." É bem provável que faça, mas será que está conseguindo se manter atualizado diante das mudanças que ocorrem à sua volta – com os clientes, os concorrentes, os mercados e em sua própria empresa?

Confiar apenas no conhecimento do produto ou na expertise técnica não é mais suficiente no mundo de hoje. A internet é uma fonte de informação gratuita e conveniente – ela democratizou a informação. Acrescente-se a isso um ambiente de negócios hostil e supercompetitivo, no qual os produtos, antes o maior diferencial de qualquer vendedor, se tornaram muito parecidos.

Para continuar conquistando todos os bons negócios que surgirem, o vendedor precisa ir além da técnica "características e benefícios" dos produtos e como isso atende às necessidades dos clientes – agregar valor e oferecer novas perspectivas é mais do que fundamental no mundo de negócios atual.

Infelizmente, a maior parte dos profissionais de vendas ainda usa técnicas do século passado. Ou seja, eles baseiam sua argumentação em roteiros preestabelecidos e descrições das características e dos benefícios dos produtos. Muitos se apegam a esses scripts e, mesmo quando se interessam pelas necessidades dos clientes, não se aprofundam. Em geral, eles acabam se precipitando e oferecem prematuramente o produto, em vez de *criar um diálogo produtivo* para entender "quando", "como" e "por que" o cliente se interessaria por aquela solução.

O truque é usar as necessidades dos clientes como base da argumentação de vendas. Minha experiência em mais de duas décadas de trabalho, com dezenas de milhares de vendedores nas melhores empresas do mundo, mostra que, *no máximo*, 30% da força de vendas utiliza realmente a técnica da venda consultiva. E não mais do que um terço consegue assumir a postura de "conselheiro confiável" perante o cliente.

O problema básico da maioria dos vendedores é a ansiedade. Em vez de oferecer soluções para resolver um problema, eles se limitam a apresentar o produto. E como falam mais do que escutam, eles acabam construindo uma relação de troca desigual e não um diálogo equilibrado entre a informação que se dá e a que se recebe.

· Em geral, o nível de preparação e de questionamento do vendedor não está à altura da comunicação que ele precisa estabelecer. Isso dificulta os diálogos produtivos e impede que bons vendedores se tornem ainda melhores.

As lições apresentadas em *Como ser um vendedor de sucesso* farão com que você aperfeiçoe seus talentos naturais e aproveite suas habilidades inatas para criar diálogos produtivos que aumentarão o número de negócios fechados.

**"Preste atenção à sua argumentação de vendas.
Veja se a relação entre o que você dá
e o que você recebe está equilibrada."**

CONTE SUA HISTÓRIA

CRIE UM DIÁLOGO

Se você perguntar a 100 vendedores se sua abordagem de vendas é centrada no cliente ou no produto, qual será a resposta? Curiosamente, poucos escolhem a segunda opção. A maioria acha que conhece as necessidades dos clientes e que está apresentando soluções, não produtos – o que acaba sendo o maior obstáculo para que mudem de fato sua abordagem.

Existem muitos estilos de venda, mas há dois que se destacam: o genérico, basicamente um monólogo no qual o vendedor tenta "empurrar o produto", e o consultivo, que prevê um diálogo interativo centrado nas necessidades do cliente. Estar 100% em um dos lados é impossível. A maioria das vendas se situa em algum lugar no meio.

Há vendedores carismáticos que usam seu charme e magnetismo como arma de convencimento. Outros são extremamente técnicos, ótimos em conteúdo e fracos na orientação para o cliente. Há ainda os "matadores", que fazem qualquer coisa para fechar a venda, mesmo que isso signifique sacrificar um relacionamento.

A maioria dos profissionais combina os vários estilos de venda: eles querem ser bem vistos, ter credibilidade, bons resultados e, acima de tudo, atender às necessidades dos clientes. Esse conjunto de características resulta num tipo *quase* consultivo, ou seja, ele até consegue identificar as necessidades dos clientes, mas acaba rendendo menos do que poderia.

Há uma linha tênue separando a venda *quase* consultiva da venda consultiva, mas ela pode representar a diferença entre fechar o negócio ou perdê-lo para a concorrência – e também entre ser visto como um técnico ou como um conselheiro confiável.

Quando os concorrentes têm o mesmo nível, a qualidade da conversa do vendedor faz toda a diferença. Os tipos consultivos estabelecem diálogos eficientes, o que os leva a aprender mais e aprofundar os laços a cada conversa. À primeira vista parece fácil estabelecer uma fina sintonia entre vendedor e cliente, mas isso está longe de ser uma tarefa simples – não por acaso, ainda são poucos os vendedores realmente consultivos.

Veja o que você pode fazer para estabelecer um diálogo forte e convincente com o cliente:

Avalie sua linguagem de vendas: Até que ponto sua argumentação é interativa? Você está dando informação na mesma medida que está recebendo?

Comprometa-se a fazer algo diferente: Faça perguntas exploratórias.

Pare de tentar "educar" os clientes: Quem precisa ser ensinado é você, não os clientes.

"Ao melhorar seu diálogo de vendas, você aumenta o seu resultado de vendas."

◉ ESTEJA SEMPRE SE PREPARANDO

Os melhores vendedores encaram o processo de preparação de uma maneira dinâmica. Na verdade, eles estão sempre se preparando – *antes* e *depois* de cada encontro com os clientes.

E você, como é sua estratégia de venda? Você pensa no que o cliente necessita? Como posiciona o produto para facilitar o fechamento da venda? Você deixa as idéias fluírem para aumentar sua criatividade e sua iniciativa? Planejar o passo a passo de uma venda, sem dúvida, dá mais agilidade e aumenta o impacto da abordagem.

Conheça os três passos da preparação ideal:

• Comece com um planejamento estratégico. Reflita sobre seus objetivos de longo prazo e estabeleça metas imediatas para a conversa que terá com o cliente. Assegure-se de que seu objetivo é mensurável e que você pode atingi-lo. Defina um prazo para não ficar desmotivado, avalie o resultado do contato e o ritmo de sua argumentação, e acelere rumo ao fechamento da venda. Não esqueça de abrir espaço para o cliente falar.

• Próximo passo: a análise do cliente. Pense nos objetivos do cliente, sua situação, necessidades e critérios de decisão.

- Finalmente, concentre-se na preparação técnica do produto. Mostre como sua linha de produtos atende às necessidades do cliente. Planeje as perguntas que fará, antecipe as dificuldades e personalize o material.

A maioria dos vendedores inverte a ordem, iniciando pelo lado técnico do produto. A vantagem de começar com a parte estratégica é a economia de tempo e a concentração de esforços no cliente. Estimule sua equipe a desenvolver novas idéias.

Manter-se atualizado sobre os dados do setor e da empresa em questão é fundamental. Revise toda a informação disponível e prepare o material, segundo as necessidades específicas do cliente, e personalize qualquer coisa que você pretenda lhe entregar. Verifique seu planejamento antes de cada conversa de vendas e peça feedback. Faça os ajustes necessários e siga em frente.

Veja algumas dicas para você se programar com mais eficiência:

Prepare-se para visitar o cliente: Estabeleça um objetivo mensurável e um prazo para cada conversa. Isto mantém a motivação e acelera o fechamento.

Customize todo o material: Mostre ao cliente que as necessidades dele são o centro das suas atenções.

Visualize a visita: Planeje o fluxo de sua conversa e determine os momentos em que o cliente poderá falar.

"Para se preparar, você deve estabelecer prioridades. Comece definindo seu objetivo."

◉ APERFEIÇOE SUAS HABILIDADES FUNDAMENTAIS

Os vendedores realmente bem-sucedidos costumam dizer que sua conversa com os clientes parece mais um *brainstorm* do que uma venda.

Para que seu diálogo se torne igualmente fluido e produtivo, você precisa ser um mestre em seis habilidades:

Postura: comunicar-se com energia, convicção e interesse.

Relacionamento: estabelecer uma relação de confiança, demonstrando que você está prestando atenção no que o outro tem a dizer e expressando empatia no contato com o cliente.

Questionamento: criar um questionamento estratégico lógico e usar técnicas exploratórias para descobrir as necessidades não reveladas pelo cliente.

Compreensão: entender o que o cliente está comunicando por meio de palavras, tom de voz e linguagem corporal.

Posicionamento: demonstrar o valor e a aplicabilidade de seu produto de acordo com as necessidades específicas do cliente.

Verificação: solicitar feedback do que você apresentou; é a única maneira de saber se o cliente entendeu e aprovou sua argumentação de vendas.

Essas habilidades são as ferramentas fundamentais para que

o processo de vendas tenha sucesso. Quanto mais eficazes elas forem, mais eficiente será o vendedor. Se você não entender a linguagem corporal do cliente, dificilmente saberá se está agradando ou não. O mesmo acontece se ele não for um bom ouvinte, ou se você não conseguir compreender as necessidades dele. Nesse caso, é quase impossível relacionar os benefícios dos produtos que estão sendo oferecidos.

O diálogo de vendas eficaz exige conhecimento do produto e competência técnica, mas igualmente importantes são o conhecimento do cliente e suas habilidades. Na abordagem ideal, o vendedor se transforma em uma fonte de soluções, na medida em que entende perfeitamente os problemas específicos do cliente e, dessa forma, está apto a oferecer o produto mais adequado – ou mesmo uma venda cruzada que atenda a um espectro mais amplo das necessidades do cliente.

Veja como aperfeiçoar suas habilidades de venda:

Avalie as seis habilidades principais: Faça um ranking em termos de importância, identifique seus pontos fortes e as áreas em que precisa se aprimorar. Trabalhe uma habilidade de cada vez até conseguir melhorar sua performance.

Faça uma autocrítica: Após cada visita de vendas, avalie seu desempenho em cada uma das seis habilidades, assim como o conteúdo do encontro.

Peça *feedback*: Solicite feedback aos clientes e colegas.

> "Ninguém nasce vendedor – fica-se vendedor.
> Para a maioria das pessoas, a habilidade
> de vendas não surge naturalmente."

MANTENHA O FOCO NO CLIENTE

O modo como você inicia uma conversa com o cliente estabelece o tom. São quatro os desafios a serem atingidos: estabelecer uma relação de confiança, esclarecer os propósitos do encontro, manter o foco no cliente e direcionar o assunto para as necessidades dele.

Não economize na construção dessa relação de confiança. Mesmo em rápidos contatos telefônicos, os melhores vendedores se esforçam ao máximo na primeira abordagem.

Dependendo da fase do ciclo de vendas, você determina qual será a ênfase em cada um dos quatro pontos. Gaste o tempo que for necessário planejando o primeiro contato com o cliente e preste atenção em sinais espontâneos que possam ajudar a "quebrar o gelo" do encontro, coisas como fotos ou outros materiais pessoais.

Depois de estabelecer um relacionamento amigável, de confiança, exponha o *motivo* da visita – *do ponto de vista do cliente, é claro*. Resuma rapidamente os principais itens de sua agenda e confira se eles estão de acordo com as necessidades e as expectativas da outra parte. Para determinar o objetivo, faça a seguinte pergunta: "*O que isto tem a ver com o cliente?*" Faça um reposicionamento à medida que você conhece mais sobre o cliente e suas necessidades.

Compare estas duas abordagens:

Abordagem 1: Você apresenta seu *objetivo*. "Bill, John disse que você pode estar interessado nas novidades que nosso departamento de pesquisa tem descoberto... por isso, estou aqui para falar sobre o nosso..." O foco está em *você* e você está começando a *apresentar o produto*.

Abordagem 2: Você apresenta seu *propósito*. "Bill, obrigado por reservar um tempo para conversar comigo... ('quebrando o gelo'). Eu sei como você anda ocupado. John disse que você está fazendo coisas interessantes como... Eu até estive olhando o seu novo site na internet, que parece muito bom. Gostaria de saber um pouco mais sobre... e descobrir como podemos... (apresenta resumidamente a argumentação). O que você acha disso?" O centro da conversa está no *cliente* e você se posiciona para *identificar as necessidades dele*.

A abordagem 1 direciona a conversa para uma discussão geral sobre o produto, enquanto a abordagem 2 leva a um diálogo interativo que pretende entender os objetivos e necessidades do cliente *antes* que as idéias e os benefícios do produto sejam apresentados.

Deixe claro que você fez o "dever de casa" ao destacar os pontos que você preparou, e chame atenção para a "sintonia fina" do seu produto em relação à realidade do cliente. Isto confere bastante credibilidade ao processo, como mostra a abordagem 2.

Se você colocar apenas seus produtos em evidência, pode

comprometer o relacionamento com o cliente. Os vendedores consultivos sabem a importância de estabelecer objetivos comuns e um entendimento compartilhado da necessidade do cliente.

Veja as dicas para melhorar sua abordagem de vendas:

Prepare-se para estabelecer um relacionamento amigável: Planeje detalhadamente como será o primeiro contato.

Alavanque sua abordagem: Prepare seu diálogo de vendas de acordo com o que você pretende conquistar – suas saudações, a relação de confiança, o propósito e a agenda, tudo deve ser predefinido e ensaiado.

Defina seu propósito: Traduza seu objetivo mensurável em um propósito que atenda aos interesses *do cliente.*

"Há uma regra básica para uma boa abordagem: estabelecer uma relação de confiança."

◉ ESTABELEÇA UMA RELAÇÃO DE CONFIANÇA

As importantes habilidades de questionamento, compreensão, posicionamento e verificação são chamadas de *habilidades de conhecimento*. Mas a capacidade de estabelecer um relacionamento de confiança, com entrosamento e empatia, é considerada uma *habilidade de sentimento*.

A construção de um relacionamento amigável, de entendimento e compreensão mútua é freqüentemente associada à abertura de uma visita de vendas. Mas há também outras formas poderosas de relacionamento. Há quem entre para a área de vendas porque "gosta de gente". Por mais importante que seja a capacidade de fazer amizade, ela é apenas o lado humano do trabalho.

Infelizmente, vendedores famosos por causar uma ótima primeira impressão limitam suas aptidões a essa fase do relacionamento. Não percebem as vantagens do entrosamento, do vínculo emocional e da empatia quando usados do princípio ao fim. Em um treinamento, um grupo de vendedores enfrentou uma simulação na qual um cliente se mostrava irritado com uma determinada abordagem: "Vocês estão sempre falando em fórmulas, como se eu soubesse o que fazer com elas!"

O desafio, claro, era responder à objeção com empatia. A reação dos vendedores, no entanto, foi decepcionante. Eis algumas das frases que eles disseram: "O que exatamente o senhor não entendeu?", ou "Posso repassar todo o processo mais uma vez".

Ninguém teve a agilidade e a habilidade necessárias. Na verdade, eles demoraram a controlar sua impulsividade e a raciocinar sobre a resposta adequada: "Não era minha intenção agir dessa forma. Peço desculpas por não conseguir ser mais claro. O que posso fazer especificamente para...?"

Demonstrar empatia e compreensão pelo que o outro está falando ou sentindo produz um efeito poderoso. Se um cliente fala de um problema, um bom vendedor, em geral, reage com uma frase do tipo "Como você conduziu essa situação?". Já um vendedor excelente consegue perguntar demonstrando consideração e, o mais importante, estimular uma resposta detalhada. Ele falaria algo como "Lamento que isso tenha ocorrido", seguido da pergunta.

A capacidade de expressar consideração com a outra pessoa é fundamental, mas a empatia é especialmente importante porque demonstra interesse e, quando usada de forma eficiente, ajuda a aprofundar os laços pessoais de confiança e compreensão.

Os vendedores têm dificuldade de expressar sentimentos como empatia e consideração. Quando o cliente é impulsivo ou quando o assunto é sensível, responda *primeiro* com uma frase que demonstre empatia genuína. Isso ajuda a tirar o cliente da defensiva e torna o discurso de vendas mais persuasivo. Uma coisa, no entanto, é fundamental: o sentimento precisa ser verdadeiro porque qualquer falsidade é facilmente percebida pelos clientes mais experientes.

Veja como aumentar sua habilidade para se relacionar:

Expresse consideração: Indique verbalmente que você escutou e entendeu o que o cliente quis dizer.

Seja compreensivo: Demonstre empatia quando o cliente estiver nervoso, alterado ou emocionado.

Estabeleça uma relação de confiança: Desenvolva sua habilidade interpessoal ao planejar como estabelecer uma relação de confiança com o cliente. Esse é o primeiro passo na construção de um relacionamento baseado em laços de amizade e compreensão mútua.

"Confiança é como oxigênio para as vendas."

◉ FAÇA PERGUNTAS ESPECÍFICAS

Muitos vendedores acreditam que para vender basta iniciar um diálogo. Embora seu objetivo seja entender as necessidades do cliente, muitos se antecipam e apresentam logo o produto, fiéis à tradicional técnica "características e benefícios". Mesmo quando se propõem a fazer perguntas, o fazem de um modo nada inspirador.

Ao disparar perguntas sem nenhum critério ou pesquisa prévia, o vendedor acaba limitando o nível de cooperação por parte do cliente. Em vez disso, direcione a conversa para as necessidades dele e verifique se ele se dispõe a responder a algumas perguntas. Mostre como o cliente se beneficiará no processo e você obterá uma cooperação mais ativa e entusiasmada. Por exemplo: "Eu avaliei atentamente o... como preparação para este encontro... Para me ajudar a entender o seu problema, posso saber o que você...?"

Também é importante mostrar seu esforço em tornar a visita realmente produtiva. Não caia na tentação de falar sobre o produto mesmo quando é o próprio cliente quem pede: "Fale-me sobre o produto X", ou "O que você trouxe para o encontro de hoje?". Responda: "Sim, preparei um material sobre...

Mas para que eu possa direcionar a discussão para o que é realmente importante para você, eu gostaria de lhe fazer algumas perguntas. O que você pode me dizer sobre...?"

Se essa situação ocorrer no final do ciclo de vendas, e você já tiver identificado as necessidades do cliente, recapitule. É importante verificar se há alguma exigência adicional, ou se aconteceu alguma mudança que precisa ser incorporada ao diálogo.

A seguir estão algumas idéias para ajudá-lo a direcionar a conversa para os problemas do cliente quando a primeira abordagem se encerra:

Mostre que fez o dever de casa: Conquiste credibilidade ao mostrar o quanto você se preparou para a visita e deixe claro que ainda precisa fazer algumas perguntas.

Direcione o assunto para as necessidades do cliente: Estimule o cliente a participar do diálogo explicando a razão para tantas perguntas.

Centralize o foco nos benefícios para o cliente: Faça com que o cliente saiba como a participação dele no diálogo de vendas o beneficiará.

"Prepare o caminho para a necessidade de diálogo."

◉ DESENVOLVA UMA ESTRATÉGIA

Mesmo quando os clientes falam francamente sobre as necessidades deles, seja porque estão mais receptivos ou porque você fez as perguntas certas, certifique-se de ter compreendido inteiramente o que foi discutido.

O questionamento lógico permite que você crie um diálogo que explore positivamente as carências do cliente. Sua estratégia lhe proporcionará a *estrutura* para desenvolver um diálogo rico, assim como a flexibilidade para improvisar enquanto direciona a conversa.

É essencial planejar a estrutura e o fluxo de suas perguntas, de forma a criar *diálogos eficientes e eficazes sobre as necessidades do cliente.* Comece com uma perspectiva ampla – pergunte sobre os propósitos do cliente, por exemplo. O entendimento do que ele almeja proporciona a melhor base para formatar outra pergunta sobre o tema. É impressionante como muitos vendedores não fazem o dever de casa.

À medida que você for entendendo plenamente os objetivos, passe para a *situação atual.* Explore melhor essa questão até conhecer as prioridades e os interesses do cliente. Em seguida, investigue o *nível de satisfação* de forma a averiguar o que funciona e o que precisa ser modificado. Se for possível, identifique também as *necessidades futuras*. A resposta a essas perguntas o ajudará a criar uma solução diferenciada.

Tente ainda descobrir, com muito tato, os desejos pessoais do cliente, para que você possa incluir *motivadores específicos* e, com isso, aumentar seu poder de persuasão. Uma vez que você tenha compreendido plenamente os objetivos do cliente (situação atual, nível de satisfação e necessidades futuras), faça *perguntas de implementação* que ainda não tenham sido formuladas ao longo da conversa.

Após concluir esse método investigativo, você poderá estimar de forma realista a possibilidade de fechar negócio. Afinal, terão sido abordados assuntos como orçamento, cronogramas, fatores que determinam a tomada de decisão, processo de decisão (incluindo quem decide o que e quem influencia quem), concorrentes, relacionamentos e outras iniciativas afins.

Veja como utilizar uma estratégia de questionamento:

Desenvolva uma estratégia poderosa de perguntas para criar diálogos de alto impacto sobre necessidades: Comece com perguntas mais estratégicas. Informe-se sobre a situação atual e também sobre o nível de satisfação do cliente. Identifique necessidades pessoais futuras. Aprofunde as questões sempre que possível.

Prepare as perguntas: As perguntas são importantes demais para serem formuladas ao acaso. Ainda assim você deve parecer espontâneo. Fique atento para as oportunidades de aprofundar as questões, aprender mais e perceber as "deixas" do cliente.

Pergunte sobre a implementação: Analise atentamente o orçamento e o cronograma – e conheça os executivos, os concorrentes e as iniciativas relacionadas.

"A estratégia de questionamento permite que você crie um diálogo sobre as necessidades do cliente."

○ PENSE NAS RESPOSTAS

◉ PENSE NAS PERGUNTAS

Quando você pergunta a um vendedor por que é importante visitar um cliente, as palavras "apresentar" e "contar" aparecem na maioria das respostas.

Ao convocar o especialista de produto para ajudá-lo a redigir um e-mail que convença um cliente em potencial a marcar uma visita, o vendedor certamente vai argumentar: "Gostaria de visitá-lo para apresentar nossa nova solução integrada... e ver como podemos..."

Já um profissional focado no cliente mudaria o tom da mensagem: "Para conhecer seu... e discutir de que forma nossa solução integrada... poderia ajudá-lo a..." A diferença é sutil, mas poderosa.

É claro que faz sentido o vendedor querer "contar", supondo que seus argumentos sejam realmente persuasivos. Afinal de contas, a atitude questionadora oferece uma perspectiva diferente.

Quando você aborda os clientes, você pensa em perguntas ou em respostas? Saiba que há uma hora e um local para as respostas. Sem essa percepção, você pode precipitar-se e acabar respondendo antes mesmo de você e seu cliente estarem preparados.

Por mais produtivo que seja buscar mais informações, muitos vendedores relutam em fazer perguntas. Eles alegam que:

- *"Não há tempo suficiente."* O tempo investido (e não "gasto") nas perguntas o ajudará a desenvolver uma solução vencedora, além de economizar tempo ao permitir que você priorize o que é importante para o cliente.
- *"Vou perder o controle."* A pessoa que controla as perguntas normalmente controla o encontro.
- *"O cliente vai pensar que não estou preparado."* Os clientes o avaliarão pela qualidade das perguntas. As perguntas certas mostram como você está bem preparado, principalmente quando você mostra que fez o "dever de casa" com frases do tipo: "Conversei com John antes de vir aqui e foi importante porque... eu fiz... gostaria de ouvir a sua opinião sobre nosso..."
- *"Os clientes vão reclamar."* Se você testar previamente suas perguntas, mostrando um bom nível de entendimento e preparação, a maior parte dos clientes será mais receptiva às perguntas. A estratégia é muito melhor do que simplesmente soterrar o cliente com informações sobre o produto.
- *"Não quero me arriscar a ofender o cliente."* Geralmente são os próprios vendedores que se sentem mal com as perguntas. Desenvolver as habilidades de questionamento pode reduzir essa barreira.
- *"As questões podem levar a assuntos negativos."* Quando tópicos negativos aparecem na conversa, é a oportunidade de resolvê-los.
- *"Já sou experiente e sei que..."* Apresentar algum assunto

sem verificação prévia pode custar o fechamento da venda.

• *"Meu trabalho é ter a resposta."* Se os clientes quisessem apenas respostas sobre o produto, a afirmação seria válida. Mas eles querem valor agregado e informações relacionadas ao seu negócio.

Eis alguns princípios para ajudá-lo a pensar nessas questões:

Coloque as necessidades do cliente em primeiro lugar: Isso significa perguntas antes das respostas.

Segure o seu impulso de responder: É natural que você queira falar, mas aguarde tempo suficiente para você elaborar a resposta.

Faça sempre mais uma pergunta: Force sua mente a aprender mais alguma coisa.

"O ponto de interrogação é a pontuação mais importante na gramática de um vendedor."

◎ # APROFUNDE O DIÁLOGO SOBRE AS NECESSIDADES DO CLIENTE

Como você reage quando um cliente faz um comentário, uma pergunta ou uma objeção? A maioria dos vendedores responde imediatamente – mas há alternativas. Em vez de ser "a pessoa das respostas rápidas", elogie o comentário e procure conseguir novas informações usando um "Por quê?" antes de sair disparando respostas.

Quando alguém fizer uma pergunta ou reclamar de alguma coisa, faça sempre uma pausa antes de responder. É a melhor maneira de evitar respostas defensivas.

Veja a reação da maioria dos vendedores mesmo em situações simples – como quando o cliente pergunta se o produto pode ter uma cor mais neutra, por exemplo:

- "Sim, essa cor também está disponível..." (produto antes da necessidade).
- "Não, apenas nesta cor..." (desistindo antes de identificar a necessidade).
- "Mas esta é a cor da moda" (contradição).
- "Então quer dizer que você não gostou desta cor?" (compreensão reflexiva).
- "Se eu conseguir fazer na cor..., você compra?" (técnica do

"se/então", que antecipa o fechamento antes de a necessidade ou o obstáculo serem compreendidos).

- "Bom, a qualidade do produto é...", ou "O que você acha do tecido?" (mudando de assunto).
- "Será que a cor está muito brilhante?" (interpretação/tradução/suposição, colocando palavras na boca do cliente).
- "Mas muitos clientes acham esta cor neutra" (desacreditando o problema).
- "Alguns dos meus outros clientes falaram a mesma coisa" (reforçando o problema).
- "Bem, não sei se você gostará de uma cor mais escura, mas temos também..." (contando x checando).

Em cada uma das respostas acima o vendedor está tentando persuadir o cliente ou tentando fugir do assunto. Se não conseguir estabelecer uma conexão (compreensão e identificação com o que o outro está falando e sentindo) ou obter mais informações (pergunta), as respostas se tornam defensivas em vez de orientadas ao cliente.

Ao usar as técnicas corretas, o vendedor tem tudo para estabelecer uma relação amigável. A tendência de responder está profundamente arraigada em grande parte do pessoal de vendas. Quando o cliente reclama e quer saber: "Por que isto levou dois meses? É muito tempo", provavelmente ficará satisfeito se ouvir: "Porque a distribuição é personalizada."

Mas você pode se transformar em um supervendedor mudando apenas o seu discurso: "Dois meses realmente é muito tempo. Você pode relatar que problemas o atraso trouxe para o seu negócio?"

Mesmo que o prazo de entrega possa ser reduzido, você centrou a conversa nas necessidades do cliente e mostrou interesse em atendê-lo de modo eficiente.

Veja algumas dicas para você criar diálogos objetivos e eficazes sobre as necessidades do cliente:

Vá devagar: Não se apresse em responder às perguntas.

Mostre que você entendeu: Introduza suas perguntas mostrando que você ouviu o que o cliente falou, de forma a encorajá-lo a responder.

Seja curioso: Descubra os porquês.

"Perguntas eficazes são meio caminho andado para um bom resultado de vendas."

◉ CONCENTRE-SE NA SUA HABILIDADE PARA PERGUNTAR

A maioria dos vendedores faz perguntas, mas quais são a qualidade, a abrangência e o impacto delas? Perguntas de vendas são decisivas. Por isso, é preciso *planejar* o que você quer saber e, caso você não esteja seguro sobre o *que* deve questionar, peça ajuda aos gerentes, colegas ou especialistas.

Com muita habilidade, disciplina, conhecimento e autoconfiança, você vai evitar que o cliente se sinta em um interrogatório policial. A *maneira* como você apresenta as idéias é tão importante quanto *o que* você pergunta. A entonação e a ordem das questões influenciarão a maneira como ele participará do diálogo e também o que você conseguirá descobrir. Pense na estrutura, na seqüência e nas táticas que utilizará para deixá-lo à vontade para falar.

Compare estas duas questões e as respostas que elas suscitam: "Quem toma a decisão na empresa?" e "Agora que você reviu o processo, o que mais envolve o processo de decisão?". A primeira pode levar o cliente a uma resposta curta, provavelmente errada. A segunda leva em consideração sua situação e, por isso, tem chance de ser mais reveladora.

Preceda o diálogo de uma conversa interessante. Motive o

cliente a revelar informações de seu interesse, mostrando compreensão. Por exemplo: "*Eu entendo que isso toma tempo. Mas como você está lidando com isso agora?*" Se a situação é delicada ou emocional, comece criando *empatia*: "*Mil desculpas por este contratempo. O que aconteceu...*"

Outra opção é iniciar a conversa anunciando um *benefício para o cliente*: "Estou querendo atender melhor esta região, você sabe de que modo por aqui...?. Uma troca de informações também pode ser valiosa: "Nossos especialistas disseram que há uma redução de... Como isso afeta os seus planos?"

Veja outras formas de tornar as suas questões mais eficientes:

Estruture suas perguntas: Desenvolva o hábito de fazer perguntas abertas, do tipo que permite explicações, o que acaba levando a outra pessoa a falar. Já as perguntas fechadas podem ser respondidas com um simples "sim" ou "não".

Encontre o ritmo certo: Faça uma pergunta de cada vez. Quando confrontado com diversas perguntas ao mesmo tempo, o cliente tende a não responder a todas ou a dar respostas superficiais. Evite responder às perguntas que você mesmo formulou e não apresente questões do tipo "múltipla escolha". Pergunte e aguarde a resposta em silêncio.

Faça perguntas mais profundas: Depois da resposta do cliente, explore o que o próprio cliente falou para fazer novas conexões e aprofundar as perguntas, levando o cliente a se abrir.

"Preste atenção não apenas no que você pergunta, mas em como pergunta."

○ ESCUTE DE MANEIRA EFICIENTE

◉ ESCUTE DE MANEIRA EFICAZ

Para um vendedor, o domínio da arte de escutar é semelhante a usar uma lente com *zoom*. A escuta *eficaz* permite que você demonstre interesse, estabeleça uma relação de confiança com o cliente e entenda as necessidades dele. Infelizmente, a maioria dos vendedores pratica a escuta *eficiente*, ou seja, capta apenas o que considera importante – o suficiente para se manter ativo no diálogo, mas não o bastante para absorver e analisar toda a informação.

Mas a escuta *eficaz* vai além. Não se trata apenas de manter um diálogo ativo com o cliente, mas também com um alto nível de interesse. Os vendedores eficazes prestam atenção em tudo e observam especialmente o tom de voz, o ritmo e a ênfase da conversa. Nesses casos, manter o contato visual e os ouvidos abertos para questões e dúvidas do cliente é fundamental, assim como confrontar as mensagens enviadas pela linguagem corporal com o que está sendo dito. Suas perguntas demonstram sua capacidade de "ler" as expressões e o gestual.

Outra forma de mostrar interesse no que a outra pessoa tem a dizer é anotar *todos* os pontos importantes da conversa. Pode parecer antiquado, mas um bloquinho de notas bem recheado pode gerar soluções customizadas, além de funcionar como uma arma valiosa na hora de criar propostas vencedoras.

Saber escutar é uma das seis habilidades fundamentais para um diálogo efetivo. De fato, quando perguntamos aos vendedores quais são suas habilidades e seus métodos de venda, a maioria relaciona a capacidade de escutar como seu diferencial mais importante.

As palavras ambíguas podem ser a chave para entender as necessidades do cliente e os critérios que ele usa para tomar decisões. Explore cada palavra ou idéia, de forma a evitar dúvidas. É a única maneira de obter informações relevantes e, com isso, personalizar seus argumentos.

Por exemplo, se um cliente diz: "Francamente, fiquei *impressionado* com seu concorrente", você pode conseguir dados valiosos dizendo: "Sei que você conversou com X. Diga-me, o que o impressionou especificamente?" Se o cliente alegar que sua solução é *"cara* demais para ele", faça a seguinte pergunta: "Caro? Como assim?" Se ele comentar que tem "algumas restrições sobre X", questione: "Eu sei que você quer tomar uma decisão segura. O que está fazendo você hesitar?" Se a resposta for "Você não é *consistente!*", mostre-se interessado em entender por que ele acha isso. *Impressionado, caro, restrição* e *inconsistente* são palavras a serem esclarecidas.

Veja outras estratégias para trocar a eficiência pela eficácia:

Preste atenção no conteúdo: Treine seus ouvidos para escutar o que é importante; esclareça e explore as palavras ambíguas.

Repare na ênfase e nas emoções: Observe se o cliente varia o tom de voz ou carrega na emoção quando usa palavras com forte carga emocional. Isso pode revelar muito sobre suas necessidades pessoais.

Use a linguagem corporal: Escute com os olhos, não apenas com os ouvidos. "Leia" os sinais corporais para entender como o cliente se sente sobre algum assunto: confuso, inquieto, motivado ou desinteressado.

"Escute e aprenda. Os melhores vendedores são os melhores ouvintes."

FALE SOBRE SEUS PRODUTOS

POSICIONE SUA MENSAGEM

O posicionamento, uma das seis habilidades fundamentais, permite que você relacione suas capacidades de acordo com as necessidades dos clientes.

A maneira como você se posiciona conta sua história, mas precisa ser algo mais do que uma abordagem genérica. A base está no conhecimento. Ter uma mensagem forte e saber como adaptá-la às necessidades do cliente é fundamental para um negócio vitorioso.

O primeiro nível do posicionamento está no desenvolvimento de uma mensagem gráfica clara. Você precisa saber o que quer comunicar e usar palavras e imagens que os clientes possam entender e relacionar.

O segundo nível do posicionamento consiste em integrar as necessidades do cliente na mensagem específica para ele. Use suas habilidades críticas e criativas para entender a linguagem e visão do cliente. Veja como posicionar sua mensagem:

- Torne-se parte da equipe e recapitule as necessidades do cliente ("Nós temos discutido seu objetivo para...").
- Mostre graficamente, e de forma concisa, as características personalizadas e os benefícios que você recomenda

("Baseado em nossa discussão anterior sobre..., nós podemos... para que você possa...").

- Finalmente, faça uma pergunta de verificação e peça feedback ("O que você achou disso tudo?").

Há um terceiro nível de posicionamento. Nessa etapa, você acrescenta novas informações e *reposiciona* a mensagem antes de apresentá-la aos responsáveis pela tomada de decisão. Use o diálogo para mostrar o seu posicionamento, especialmente nos momentos em que é necessário ser mais persuasivo. Veja alguns exemplos:

- Para ter acesso – "Você me ajudou bastante a entender a situação... Quando eu falei com nosso especialista... Gostaríamos de nos reunir com você e o chefe da área de Tecnologia da Informação para montar a estratégia para nossa apresentação" (melhor do que "Gostaríamos de uma reunião com o chefe de Tecnologia da Informação").
- Para demonstrar a capacidade da empresa – "Nosso... permitirá que você encaminhe as informações para os 30 chefes de divisão em qualquer parte do mundo antes de... e com isso você poderá..." (melhor do que "Nosso... pode enviar informações...").

O mais importante no posicionamento é a capacidade de mostrar conhecimento sobre o cliente. Confira outras estratégias:

Saiba o que você quer comunicar: Pratique e descubra a melhor maneira de demonstrar suas capacidades. Certifique-se de que o conteúdo da mensagem está centrado no cliente, é conciso e de fácil entendimento.

Atualize a mensagem constantemente: Registre as mudanças que ocorrem na sua empresa e a situação do cliente, as percepções e as necessidades dele.

Posicione-se com eficiência: Resuma objetivamente para o cliente os benefícios de direcionar a mensagem e integre ao corpo da mensagem as necessidades específicas que você percebeu ao longo da conversa.

> "'O meio é a mensagem' – você é o meio para a mensagem da empresa."

⊙ ANALISE SEUS CONCORRENTES

Seus concorrentes são fortes, portanto é sua obrigação conhecê-los em detalhes. Independentemente da quantidade de informações que você receba de seu departamento de pesquisa ou de marketing, é fundamental compreender como o seu cliente se sente a respeito de seus concorrentes diretos. Dessa forma, você pode montar um contra-ataque eficiente – sem criticar nem promover a concorrência.

Como parte da preparação, descubra o máximo que puder pesquisando na internet, em publicações especializadas, relatórios anuais, junto a outros colegas e também por meio de campanhas publicitárias. Uma fonte freqüentemente subestimada é o próprio cliente, que quase sempre se dispõe a responder espontaneamente a perguntas do tipo: "Com quem mais você conversou?", "O que você achou deles?", "O que achou de trabalhar com eles?", "O que você mudaria?", "Com quem você trabalhou?" e "Como você os compara a nós?"

Independentemente do teor das respostas, não fique na defensiva nem fale mal do concorrente. Críticas diretas não são uma estratégia inteligente. Afinal, você estará insultando o cliente que escolheu o concorrente. Em vez disso, faça perguntas específicas e ajude-o a fazer comparações.

Descubra o que a concorrência está oferecendo, o histórico desse relacionamento e investigue o que os clientes acham dela, comparando o nível de acesso que ela tem ao cliente e às outras pessoas de seu grupo executivo.

Esse tipo de investigação economiza tempo e dinheiro. Ao perguntar como sua proposta foi recebida, o vendedor soube que estava em segundo lugar. Como? Por causa do conjunto de softwares que o concorrente estava oferecendo. Com essa informação, ele se associou com uma empresa de software, refez a proposta e conseguiu fechar a venda.

Com uma informação desse tipo você pode se posicionar melhor e dar um suporte mais consistente ao produto que você vende. O feedback competitivo pode estimular a criação de novos produtos e de estratégias mais objetivas. Um conhecimento mais profundo da concorrência também permite que você desmonte as "minas" plantadas por ela.

Veja as dicas para você se destacar dos seus concorrentes:

Conheça a concorrência: Corra atrás de informações precisas sobre os seus concorrentes e utilize-as para se posicionar contra eles.

Veja o mercado com os olhos do cliente: Os clientes são uma grande fonte de informação sobre a concorrência. Descubra como eles vêem os seus concorrentes e compare com a percepção que eles têm de você.

Destaque sutilmente as fraquezas da concorrência: Quando você tem uma vantagem competitiva ou conhece a fraqueza de um concorrente, faça com que seu cliente enxergue os pontos fracos dos seus adversários – só então coloque seu ponto de vista e os benefícios que você representa.

"Conheça as forças e fraquezas da concorrência e use-as a seu favor."

USE AS OBJEÇÕES A SEU FAVOR

Há diversos motivos para um cliente criar objeções. Isso pode ser frustrante, mas também revela que ele está atento e avaliando criticamente sua proposição.

As objeções são um ótimo caminho para você ganhar credibilidade e avançar no processo de vendas. Contudo, muitos profissionais não usam as objeções de forma estratégica. Ao contrário. Eles tentam contra-argumentar com o cliente, que, em resposta, fica na defensiva e bloqueia o diálogo.

Assumir uma postura ofensiva também não funciona. Uma alternativa entre "lutar" e "correr" é usar corretamente a técnica de questionar e de mostrar *consideração pelo cliente*, de forma a entender qual é a objeção e obter as informações necessárias para contorná-la.

A forma como você lida com os problemas determina, em última instância, se eles são uma força positiva ou negativa no processo de vendas e se atrapalham ou facilitam o fechamento da venda.

Os métodos tradicionais deixam o vendedor com a ingrata – e às vezes impossível – tarefa de mudar a mentalidade do cliente. Mas a melhor maneira de lidar com uma objeção é buscar mais informações. Um vendedor bem-sucedido sabe que o cliente tende a se tornar um aliado em potencial quando a relação envolve empatia e consideração – principalmente na hora de contornar objeções.

Uma atitude de consideração representa para o cliente um "Entendo o que você disse". Já uma demonstração de empatia mostra que "Eu me preocupo com isso". A consideração é muito importante quando surgem dificuldades. A empatia funciona melhor quando o cliente está ressentido ou quando há problemas pessoais ou emocionais a serem considerados. No fundo, ambas as atitudes demonstram que você se preocupa com os sentimentos dele.

Ao estabelecer uma relação cordial e de confiança, procurando aprender mais sobre o problema, você evita as armadilhas de desistir da venda ou assumir uma postura defensiva. Lembre-se de que a maioria dos clientes conhece melhor as próprias necessidades do que você.

Veja como transformar objeções em oportunidades:

Tenha consideração e empatia pelo cliente: Mude o foco da situação negativa dizendo, com todas as letras, que você entendeu perfeitamente a objeção – sem repetir as palavras do cliente. A consideração e a empatia abrem caminho para você fazer a pergunta certa para esclarecer o problema. Não apague os efeitos da consideração e da empatia usando a conjunção "mas".

Pergunte para conhecer mais: Objeções são, em geral, amplas; e precisam ser esclarecidas.

Posicione sua resposta: Seja conciso, específico e adapte sua resposta às necessidades do cliente. Então, confira o feed-back: faça uma pergunta para descobrir se você conseguiu superar as dificuldades.

"Para objeções genéricas, respostas genéricas."

◉ OBTENHA FEEDBACK DO CLIENTE

O processo de perguntar *antes* de passar para a próxima etapa – uma espécie de verificação do que o cliente achou de sua apresentação – é outra habilidade fundamental. Embora seja importante recapitular com exatidão as necessidades do cliente, resumos não suprem o que você pode conseguir com a verificação. Muitos vendedores relembram (contam), mas poucos verificam (perguntam).

Receber feedback é o único recurso que o vendedor tem para *realmente* saber até que ponto está atendendo às necessidades do cliente. É um meio de você estimar o seu progresso e obter as informações necessárias para ajustar o que for preciso. Também evita que você faça suposições sobre como o cliente entendeu e recebeu tudo o que você falou – o silêncio não significa, necessariamente, aprovação.

A verificação regular mantém o cliente envolvido, ativo e interessado. Por exemplo, durante a conversa você pode perguntar : "À primeira vista, o que lhe parece melhor: X ou Y?", ou "Que sistema vocês usam?".

Mais importante ainda, a verificação de feedback permite fazer uma "sintonia fina" de sua mensagem e ganhar autoconfiança para o fechamento da venda – sim, porque ao identificar obstáculos e oportunidades, você consegue imaginar como o cliente provavelmente responderá. Se perceber que ele ainda tem dúvidas, pode retornar ao assunto, fazer novas perguntas e ajustes e/ou refazer seu objetivo. Cada vez que você repassar um ponto importante de sua mensagem, responder a uma pergunta ou argumentar a partir de uma objeção, solicite feedback.

Curiosamente, a verificação é a habilidade a que os vendedores, inicialmente, mais resistem. Eles a encaram como algo arriscado – primeiro, porque o feedback pode ser negativo; segundo, porque pode suscitar objeções, reclamações, pedidos e demandas. Mas, com a prática, eles acabam admitindo que a verificação é indispensável. Uma verdadeira arma secreta que permite economizar tempo, direcionar a conversa e adaptar o discurso.

Não confunda o ato de verificar com as táticas de manipulação ou de pressão. Não se trata de uma coisa nem outra. Suas perguntas são abertas – *"O quê?"*, *"Como?"*, ou *"Até que ponto?"*. Se fossem questões fechadas – "Você quer economizar dinheiro?", ou "Você não concorda que isso irá ajudá-lo?" –, forçariam o cliente a responder com um "sim" e isso poderia fazê-lo se sentir induzido a comprar.

A verificação busca informações e feedback, ao contrário do resumo, que *fornece* informações. O importante não é o que *você* pensa, e sim o que o *cliente* pensa. Veja a diferença de abordagem: "Como você acha que X funcionará em sua estrutura para atingir o objetivo de...?" e "Eu acho que X funcionará melhor em sua estrutura porque está de acordo com sua estratégia de...".

Conheça algumas estratégias básicas para a verificação de feedback:

Obtenha feedback antes de seguir em frente: Peça feedback toda vez que apresentar uma informação importante.

Use perguntas de verificação durante toda a negociação: Peça feedback do cliente desde a primeira conversa até o fechamento da venda

Avalie seu objetivo de forma realista: A verificação contínua permite descobrir até que ponto seus objetivos de venda são realistas. Também fornece uma base para perguntar como você está se saindo e adaptar seu objetivo.

"A verificação é a bússola que mantém você na direção certa."

NÃO SE PRECIPITE NA HORA DE NEGOCIAR

As vendas e a negociação são fases distintas do processo de vendas. Na venda, você determina se o cliente quer ou não fazer negócio com você e, em contrapartida, se você quer fazer negócio com ele. Você identifica as necessidades, estabelece uma relação de confiança e mostra o valor de seu produto ou de sua solução. Negociação é a fase em que preço, condições e lucro são determinados.

Ao discutir preços e condições, as pessoas temem ser descartadas e, com isso, assumem uma postura defensiva. Durante a negociação, normalmente é muito tarde para identificar necessidades, conquistar a confiança e obter o tipo de informação-chave que deveria estar disponível desde a fase da venda.

É comum que um cliente pergunte o preço logo no início do diálogo: "Antes de qualquer coisa, diga-me qual é o seu preço." Antes de se precipitar, faça duas perguntas para si mesmo: "Será que eu sei quais são as necessidades do cliente?" e "Será que o cliente sabe o valor agregado que eu apresentei para ele?".

Se a resposta para ambas as questões for "não", responda com a seguinte alegação: "Para que nós possamos discutir o preço, preciso fazer algumas perguntas e saber detalhes e configurações do sistema..." É arriscado revelar o preço, mesmo que em termos gerais. Mas, se o cliente insistir em falar de valores no início do processo, tente negociar a tabela de preços em troca de mais informações sobre o negócio.

Mantenha uma atitude de conselheiro e explique mais uma vez por que você precisa obter mais informações. Enquanto ele não for capaz de revelar as reais necessidades dele, você não conseguirá mostrar valor agregado. Use estratégias de negociação para manter seu preço e as condições de pagamento. Discuta sempre o preço em função do contexto e do valor agregado de seu produto.

Se o cliente fizer exigências, descubra o que há por trás da demanda para chegar à necessidade. Por quê? Porque em geral existe apenas uma maneira de satisfazer uma exigência, mas há diversas maneiras de atender a uma necessidade. Mesmo com um negociador combativo, não entre em conflito. Você não precisa ser agressivo para ter o controle da situação.

Quando negociar, empregue as seguintes estratégias:

Descubra a necessidade por trás da demanda: Existe apenas uma maneira de satisfazer uma exigência, mas há diversas maneiras de atender a uma necessidade.

Negocie, não faça concessões: Quando precisar fazer uma concessão, negocie. Não esqueça as concessões feitas, e faça uma de cada vez.

Use o poder do silêncio: Depois que você determinar o preço, faça uma pausa. O primeiro a falar, normalmente, é o primeiro a fazer concessões. Esse é um momento em que o feedback não funciona. Na verdade, uma verificação após a apresentação do preço e das condições de pagamento enfraquece sua posição. Isso exige determinação, mas vale a pena.

"Saber a hora de negociar ajuda
a saber o que negociar."

◉ CONDUZA O FECHAMENTO PASSO A PASSO

Toda venda é avaliada pelo fechamento: é ele que demonstra a excelência com a qual o vendedor identificou e atendeu às necessidades do cliente.

Os vendedores adoram falar sobre o fechamento do processo de vendas, embora muitos hesitem em encerrar o relacionamento com o cliente. Eles temem ser considerados atrevidos e, ao mesmo tempo, receiam ser rejeitados pelo cliente. Todos são unânimes, porém, em considerar que o fechamento é a hora do "tudo ou nada". Para eles, é melhor esperar até o último momento, quando tudo está em jogo.

Essa abordagem, no entanto, é muito arriscada. Esta é a razão pela qual os vendedores de sucesso conduzem o processo de fechamento em três fases:

Fase 1: Eles estabelecem um objetivo mensurável antes do primeiro encontro.

Fase 2: Eles usam perguntas de verificação ao longo da apresentação para avaliar seu desempenho e fazer os ajustes necessários.

Fase 3: Eles concluem cada encontro com uma ação específica para manter a dinâmica ou saber mais sobre o negócio.

O vendedor é o responsável por conduzir e propor o fechamento. É ele quem escuta, pergunta, apresenta as necessidades do cliente, verifica e faz as perguntas finais. O fechamento normalmente é parte do ciclo de vendas, seja uma reunião com a pessoa que toma as decisões, uma demonstração ou um programa piloto, a vinda de um especialista da empresa ou qualquer coisa que dê continuidade ao processo – tudo isso antes de fechar o negócio ou de obter a assinatura do contrato.

O planejamento prévio dá o direcionamento e o senso de liderança, o que permite ao vendedor manter a dinâmica do encontro e avaliar de forma realista seu trabalho. A *verificação* fornece pistas sobre como o cliente se sente a respeito do que vocês conversaram. E abre caminho para você finalizar o encontro ou voltar a etapas anteriores. Ou seja, você entra na negociação já sabendo o que precisa alcançar. Nessa etapa, não é mais aceitável ter dúvidas do tipo: "O que eu espero obter ao final da reunião?"

Se o cliente rejeitar sua proposta de fechamento, faça uma segunda tentativa. Mas antes tente descobrir *por que* ele recusou – faça um reposicionamento de seus argumentos e, se for o caso, tente novamente. O objetivo mensurável é o passo final do processo de fechamento.

Veja como alcançar um resultado de fechamento mais efetivo:

Estabeleça um objetivo para cada encontro: Para manter a dinâmica e avançar no processo, assegure-se de que o objetivo seja mensurável, atingível e faça um cronograma.

Solicite feedback ao longo dos encontros: Procure obter feedback de tudo o que você apresentou. Isso lhe fornecerá a informação e a confiança para concluir a venda ou ajustar seu objetivo.

Termine uma visita sabendo qual será o próximo passo: Para manter a dinâmica do processo, não conclua uma reunião de vendas sem definir qual será o próximo passo. Cultive o hábito de perguntar "O que fazemos agora?" ao final de cada reunião.

"Cultive o hábito de fechar a venda aos poucos, gradualmente, até a hora da assinatura."

○ TRABALHE SOZINHO

⦿ # UTILIZE TODOS OS RECURSOS

Os vendedores mais eficazes cultivam o bom relacionamento tanto com os clientes quanto com os colegas da empresa. Especialmente nas vendas mais complexas, é fundamental ter acesso aos verdadeiros tomadores de decisão e às pessoas que influenciam o processo de compra.

Também é importante estar apto para trabalhar em parceria com especialistas de suporte, gerentes de produto, analistas e colegas de mesmo nível e pessoal de suporte. Cultive relações positivas com a equipe de apoio *antes* de precisar dos serviços deles. Divida os créditos das conquistas e seja solícito em ajudá-los.

Identifique quem toma a decisão e quem influencia o cliente – enfim, quem tem o poder. Para analisar o processo de decisão do cliente, observe seus padrões de comunicação e obtenha informações em todos os setores e níveis hierárquicos da empresa dele. Descubra quem cuida do dinheiro e procure identificar quem apóia sua negociação e quem é sua possível nêmesis, ou seja, quem pode votar contra o fechamento do negócio. Estabeleça, se possível, relacionamentos também com parceiros do cliente, como advogados, auditores e banqueiros.

Um telefonema estratégico de seu superior para algum alto executivo da empresa do cliente pode ser decisivo na hora de fechar o negócio. Um vendedor eficaz sabe o momento de usar os gerentes seniores para ajudá-lo a conquistar uma grande carteira de clientes. Sem contar a possibilidade de o gerente ter alguma informação de bastidores sobre um novo sistema que o cliente está comprando e sobre os fornecedores envolvidos na concorrência.

Se o vendedor sabe que o tesoureiro da empresa tem um bom relacionamento com o diretor financeiro do cliente, é natural que ele peça ajuda. Um simples telefonema para o colega pode reforçar o seu argumento de vendas, ajudando a fechar o negócio.

Aqui estão algumas idéias para ajudá-lo a alavancar todos os recursos de que você precisa para se tornar um vencedor:

Mapeie o processo de tomada de decisão do cliente: Pergunte, observe e analise o processo de decisão do cliente. Mantenha acesso livre a quem toma as decisões. Saiba quem influencia o cliente.

Recrute o apoio dos colegas: Ganhe credibilidade interna. Sempre que tiver sucesso em algum negócio, divida o mérito com os colegas.

Escolha um "conselheiro" na empresa do cliente: Identifique e cultive o relacionamento com uma pessoa que seja próxima ao cliente e possa funcionar como uma inestimável fonte de informação. Ela o ajudará a direcionar o processo de vendas, dando dicas e providenciando informações de bastidores, sempre que for necessário. Se você não tiver um *conselheiro* para cada um de seus principais negócios, não perca tempo – comece a desenvolver esse tipo de relacionamento.

"Todo mundo conhece alguém. Os bons vendedores reconhecem o valor de uma boa agenda de telefones."

◉ FAÇA UM ACOMPANHAMENTO IMPECÁVEL

Ter o hábito de fazer *follow-up* fornece um diferencial ao pessoal de vendas. Fazer uma lista das atividades a serem realizadas e verificar o andamento de cada uma delas até sua conclusão é uma das maneiras mais fáceis de ganhar credibilidade e confiança do cliente: afinal, promessa feita é promessa ganha – especialmente se cumprida no prazo prometido.

É necessário fazer *follow-up* antes, durante e depois da venda – até mesmo quando não há nada sendo negociado. Muitos vendedores sabem planejar e organizar as tarefas, mas um *follow-up* impecável pode ajudá-lo a ficar um passo adiante dos outros. O hábito de perseguir a realização de um objetivo lhe traz responsabilidade, conhecimento e ajuda a lembrar tudo o que você tem de fazer ao longo do dia. Ao fazer sua lista de pendências, você se compromete a verificar o andamento de cada item. Seja fanático em relação a isso! Se no dia 2 de junho você agendar uma tarefa para o dia 29, coloque vários avisos ao longo do mês.

Se você receber um telefonema de um cliente ou de um colega, responda o mais rápido que puder. Não fique mais do que 12 horas sem dar retorno. Verifique seu correio de voz pelo menos a cada *três horas*. É importante cumprir o prometido – e, quanto mais cedo, melhor o resultado.

Mantenha os clientes informados de qualquer atraso – avise-os *antes* que eles liguem para você. Peça desculpas por qualquer contratempo que venha a surgir e explique o que fará para resolver o problema. Mostre sua preocupação e responsabilidade com o prazo. Melhor ainda, não se atrase.

Depois de um encontro de vendas, envie *rapidamente* e-mails para todas as pessoas envolvidas no processo de tomada de decisão, tomando o cuidado de personalizar o e-mail conforme as necessidades e dúvidas de cada uma delas. Use o correio de voz para manter contato, atualizar a lista de prioridades ou recapitular quais serão os próximos passos. Anexe uma carta sempre que enviar propostas e outros materiais.

Se estiver aguardando uma decisão, mantenha-se disponível para o cliente – até pessoalmente, se for o caso. Se precisar se ausentar por conta de algum compromisso, assegure-se de que o pessoal do escritório possa encontrá-lo o mais rápido possível. Elimine as expressões "Deixe-me saber o que você fará..." e "Ligue de volta..." de seu vocabulário. *Você* é quem deve entrar em contato com os clientes e estabelecer os próximos passos ao fim de cada encontro.

Para ajudá-lo a administrar essa cadeia de relacionamentos, faça uma lista de clientes ativos e inativos e evite a "síndrome do esquecimento". Ligue após cada encontro, depois de eventos importantes, antes e depois da implementação de um negócio e em datas especiais, como Natal e aniversário. Mantenha-se atento para descobrir novos motivos que justifiquem seus contatos.

Dê feedback até mesmo para seus colegas, agradecendo sempre a colaboração, e incentive sua equipe (especialistas, chefes, assistentes) a não perder nenhuma oportunidade. Verifique pelo menos duas vezes o nível de satisfação do cliente.

Para usar o *follow-up* de maneira inteligente, observe as dicas a seguir:

Estabeleça um método de trabalho: Mantenha e use uma lista diária de coisas "a fazer". Verifique-a no início e no fim de cada dia.

Preocupe-se com o prazo: Seja obsessivo em conseguir que as coisas sejam feitas. Mostre essa preocupação para os clientes.

Mantenha a confirmação das ações sob o seu controle: Não espere que os clientes façam esse trabalho para você.

"O telefonema de cortesia é o melhor telefonema de *follow-up*. Um simples 'Obrigado pelo encontro' pode se transformar em um 'Obrigado pela compra'."

CONFIRME A OPORTUNIDADE

Muitos vendedores confiam em seus próprios instintos para saber quando estão ou não diante de uma oportunidade real e qualificada. Por melhor que seja a intuição, a informação mais confiável deve vir da fonte principal: o cliente. É surpreendente o número de profissionais que orientam sua estratégia de vendas com base em informações e conclusões próprias.

Há uma série de perguntas fundamentais que devem ser respondidas pelos clientes: "Qual é a sua principal necessidade?", "Como surgiu essa oportunidade?", "Qual é o cronograma?", "Existe algum evento que influencia a decisão?", "Qual é o orçamento desse projeto?", "Quais são os critérios de decisão?", "Quem são os concorrentes?", "Como eu estou me saindo em comparação à concorrência?", "Qual o valor que eu agrego?", "Qual é o nosso relacionamento?", "Qual é o meu nível de acesso a quem toma as decisões?" e "Será que estão claros o meu valor e o meu diferencial em relação à concorrência?".

O pessoal de vendas comete três erros clássicos ao qualificar e avaliar as oportunidades:

• Eles acham que sabem as respostas para as questões fundamentais.

- Apesar de as negociações mudarem diariamente baseadas em redirecionamentos internos do cliente e do ambiente do mercado, eles não reciclam sua estratégia e mensagem.
- Eles confirmam a venda apenas uma vez e com uma única pessoa.

Há ocasiões em que alguns vendedores enganam a si mesmos ao identificarem uma oportunidade que não rende nada. Outras vezes, eles agem de forma pessimista, deixando de enxergar uma chance quando de fato ela existe. Sem confirmações, tudo isso não passa de um exercício de "achismo".

A etapa de confirmação só é viável quando acontece a mistura perfeita das seis habilidades fundamentais: postura, relacionamento, questionamento, compreensão, posicionamento e, o mais importante, verificação.

Ao tentar comprovar alguma coisa, seu objetivo é entender como os clientes pensam e, o mais importante, aprofundar o questionamento para tentar descobrir *por que* eles se sentem dessa forma. Portanto, você pode colocar a seguinte questão – "Quem são os concorrentes?" – e aproveitar a resposta para tentar descobrir como o cliente e cada um de seus colegas se sentem em relação aos concorrentes e depois comparar isso com a maneira como eles o vêem.

As respostas para as perguntas de confirmação fornecem um maior entendimento das necessidades e dos critérios e políticas envolvidos no processo decisório. Esse método de confirmação fornece a informação necessária para ajudar a diferenciar sua mensagem, criando uma solução vendedora.

Da próxima vez que você estiver envolvido em um diálogo

de vendas, tome nota de quantas vezes você colocou em prática a técnica de confirmação para obter informações mais aprofundadas.

Se você pretende se tornar um mestre no processo de confirmação, siga este passo a passo:

Não "ache" nada: Verifique duas vezes todas as informações para se assegurar de que são reais e válidas.

Lembre-se de que as coisas mudam: Torne a confirmar e ajuste sua estratégia e mensagem.

Não aceite a primeira informação: Você precisa de mais de uma perspectiva para ter certeza de que a informação está correta.

> "Confirmar algo exige a mistura perfeita das seis habilidades fundamentais: postura, relacionamento, questionamento, escuta, posicionamento e, o mais importante, verificação."

⊙ FAÇA ACONTECER

À medida que os negócios se tornam mais complexos e competitivos, você também precisa ser mais estratégico e habilidoso. O nível de mudança no cenário é cada vez maior. Há um sentimento, em diversos setores econômicos, de que na década passada houve mais compras do que vendas. O foco freqüentemente estava no produto e na transação, em vez de no cliente, no valor agregado e no relacionamento.

Cabe a você mesmo determinar se acompanhou as mudanças que ocorreram ao seu redor e se elas alteraram sua maneira de trabalhar. Você realmente mudou porque acredita na proposta, ou está apenas se ajustando para sobreviver nestes novos tempos?

Os ensinamentos atuais sobre vendas e comunicação permitem que você concentre os seus esforços de um jeito diferente. Eles o ajudarão a colocar o cliente em primeiro lugar. O objetivo é usar o diálogo como uma maneira de entender as necessidades dos clientes, posicionar corretamente os produtos, adaptar as mensagens para que os clientes as entendam como soluções, fechar a negociação e aprofundar o relacionamento.

As seis habilidades fundamentais – presença, relacionamento, questionamento, escuta, posicionamento e verificação – são o ponto central do diálogo de vendas. Essas habilidades são as *ferramentas* que você precisa usar desde a abordagem inicial até o fechamento da venda. Se existir alguma fragilidade em um desses itens, você acaba perdendo terreno.

O conceito mais importante que permeia as 20 lições apresentadas neste livro é o que mostra que a venda ocorre por meio do diálogo e que esse diálogo é uma via de mão dupla. As ferramentas disponíveis são suas próprias habilidades. Na verdade, a maneira como você envia sua mensagem e suas habilidades são o coração do departamento de vendas. Sem elas, você não tem como seguir em frente. Com elas, você avança em direção a sua meta de vendas e de relacionamentos de longo prazo.

Você é um bom vendedor, mas sabe que pode ficar ainda melhor. Para a próxima negociação de vendas, selecione uma das seis habilidades fundamentais para ser o centro de suas atenções.

Estabeleça uma boa relação com seus clientes: Procure ter uma relação de confiança com o cliente para deixá-lo confortável. Use sua capacidade de se colocar no lugar do outro para manter a conexão, e a empatia para estreitar os laços do relacionamento.

Garanta sua presença: Cheque o nível de energia e a convicção que você projeta. Mostre interesse real pelo cliente, não apenas pela venda.

Pergunte, escute e verifique: Desenvolva uma estratégia de questionamento para entender melhor as necessidades do cliente. Escute com atenção a mensagem enviada pelo cliente: palavras, tom de voz, ritmo e linguagem corporal. Faça várias verificações durante o processo de forma a obter feedback e ajustar o que for necessário.

Posicione sua mensagem: Quando você entender as necessidades do cliente, posicione sua mensagem de forma que ela as satisfaça plenamente, e peça detalhes do negócio.

Identifique o que deu certo com você no passado e aperfeiçoe a técnica para que continue funcionando no futuro. Saiba que você é muito mais importante do que o produto. Você é o "fator humano", é a venda, e seu diálogo de vendas faz com que tudo aconteça.

> **"Na moderna relação vendedor-cliente, o profissional de vendas não é mais visto como um 'especialista', e sim como um 'recurso'."**

"Ao desaprender velhas técnicas de 'venda' e aprender como conduzir um verdadeiro diálogo de vendas com seu cliente, você aumentará seus resultados e construirá relações duradouras com os clientes."

"Embora muitos vendedores pensem nas necessidades do cliente, eles falam apenas sobre produtos, seguindo a velha fórmula de vendas. Saber perguntar e escutar pode mudar isso."

Conheça outros títulos da
Coleção Desenvolvimento Profissional

Aprendendo a lidar com pessoas difíceis
DR. RICK BRINKMAN E DR. RICK KIRSCHNER

Pessoas difíceis são um desafio. Na melhor das hipóteses, elas tornam a vida mais estressante e desagradável. Na pior, elas chegam a interferir em projetos pessoais e impedem a conquista de metas profissionais importantes.

Aprendendo a lidar com pessoas difíceis ensina a extrair o melhor desses tipos problemáticos, mesmo quando eles exibem o pior de si mesmos. Com a ajuda de técnicas eficazes e uma abordagem criativa, os autores ensinam o caminho das pedras – o aprendizado da convivência em grupo, independente das diferenças – e os atalhos para impedir que as pessoas que lhe incomodam enfraqueçam seu desempenho no trabalho e na vida pessoal.

Como motivar sua equipe
ANNE BRUCE

Pense nos executivos que mais influenciaram sua carreira. Eles foram bem-sucedidos porque perceberam que sua própria carreira e o sucesso da empresa a longo prazo dependiam da eficiência da equipe. Por isso, investiram num ambiente de trabalho divertido e estimulante e no talento e na fibra de cada colaborador. Esses líderes excepcionais acreditaram no poder e na influência das pessoas – e foram recompensados.

Como motivar sua equipe apresenta exemplos inspiradores de empresas como Disney, Levi's e Dell Computer e suas estratégias orientadas para resultados. A idéia é estimular você a colocar em prática os ensinamentos dessas corporações para extrair as melhores qualidades e habilidades das pessoas. Está provado que essas duas estratégias agregam valor tanto para a empresa quanto para a carreira dos executivos que lideraram o processo.

O manual do novo gerente

MOREY STETTNER

Você foi promovido a gerente. Isso o coloca numa posição totalmente diferente. De colaboradores difíceis de lidar a chefes exigentes, você nunca sabe de onde surgirá o seu próximo problema. O que você sabe é que todos esperam que você o resolva – e de maneira rápida e eficiente.

O manual do novo gerente fornece valiosas sugestões e dicas para que você se integre à sua equipe enquanto a estimula a conquistar performances e resultados surpreendentes. Como um gerente novato no competitivo ambiente de trabalho dos dias de hoje, você enfrentará desafios e testes diariamente. Ao contrário de sua posição anterior, você será avaliado pelo desempenho dos outros. Dê a si mesmo a oportunidade de ser bem-sucedido e aprenda como conquistar o respeito tanto de seus colaboradores quanto de seus supervisores.

Conheça outros importantes títulos da Editora Sextante

O monge e o executivo
JAMES C. HUNTER

John Daily é um executivo bem-sucedido que, de repente, percebe que vem fracassando como chefe, marido e pai. Em busca de um novo caminho para sua vida, ele decide participar por uma semana de um retiro num mosteiro beneditino.

Lá encontra Leonard Hoffman, um dos mais influentes e bem-sucedidos empresários americanos, que resolveu largar tudo para ir em busca da verdadeira essência da vida. Nesse livro extremamente envolvente, você vai aprender, junto com John Daily, princípios de liderança fundamentais para construir uma carreira de sucesso e uma vida em plena harmonia com as pessoas à sua volta.

Como se tornar um líder servidor
JAMES C. HUNTER

Liderar não é ser "chefe". Liderar é servir. Embora "servir" possa ter uma conotação de fraqueza para alguns, a liderança de serviço é na verdade uma idéia vigorosa e revolucionária, que pode ter um impacto significativo no desempenho de uma organização.

James Hunter propõe esse método de liderança que transforma chefes e gerentes em treinadores e mentores. Os líderes servidores sabem que prover as pessoas e empenhar corações e mentes promove uma força de trabalho que compreende os benefícios de se esforçar pelo bem maior.

Preciso saber se estou indo bem!
RICHARD L. WILLIAMS

Imagine como seria se você passasse a ser totalmente ignorado em casa ou no trabalho – sem orientações, elogios ou críticas pelas coisas que faz. Esse livro ilustra a importância do feedback através de uma história simples, baseada em pessoas reais que o autor conheceu ao longo de sua carreira como professor e consultor.

Escrito de maneira dinâmica e repleto de estratégias, ele apresenta os quatro tipos de feedback – positivo, corretivo, ofensivo e insignificante –, ensinando quando usar os dois primeiros e como evitar os outros, para ajudar você a conquistar mais qualidade em suas relações, estimulando a iniciativa, a responsabilidade e a lealdade entre as pessoas à sua volta.

Você é mais capaz do que pensa
JOHN G. MILLER

Com quase vinte anos de experiência na área de treinamento, John G. Miller desenvolveu um método fantástico para virar pelo avesso essa maneira de pensar: devemos fazer perguntas melhores para fazer escolhas melhores.

Em vez de começar as perguntas com Por que, Quando e Quem, precisamos voltar a atenção para as nossas capacidades individuais e perguntar: "Em que eu posso contribuir?" e "Como eu consigo fazer alguma diferença?". Lançando mão de histórias leves e capítulos curtos, o autor mostra como nos tornar mais eficientes e bem-sucedidos ao aplicar a noção da responsabilidade pessoal no nosso dia-a-dia.

A Boa Sorte

ÁLEX ROVIRA E FERNANDO TRÍAS DE BES

Se você sempre acreditou que a sorte é uma questão de acaso, esse livro vai fazer você rever este conceito e trará uma grande transformação em sua vida.

Nessa fábula de linguagem cativante e inspiradora há uma lição simples mas profundamente significativa: a sorte nada tem a ver com um acontecimento fortuito – cabe a nós criarmos as condições para que ela aconteça em nossa vida.

A hora da verdade

JAN CARLZON

Lançado originalmente nos anos 1980, *A hora da verdade* é um clássico e um dos mais importantes livros de negócios de todos os tempos. Ele apresenta o relato da extraordinária experiência de Jan Carlzon, que criou um modelo inédito de administração, mudando os rumos da gestão empresarial e revolucionando o conceito de liderança.

Com seu estilo acessível, Carlzon apresenta em detalhes sua ousada abordagem para prosperar numa economia voltada para os clientes: como definir uma estratégia, como estruturar uma organização para priorizar as necessidades dos clientes, como motivar e se comunicar com a equipe da linha de frente.

Seu balde está cheio?
TOM RATH E DONALD O. CLIFTON

Todos nós possuímos um balde invisível que se enche ou esvazia o tempo inteiro, dependendo do que os outros nos dizem ou fazem. Quando o nosso balde está cheio, nos sentimos ótimos. Quando está vazio, ficamos péssimos.

Com essa simples metáfora e o conhecimento adquirido em 50 anos de pesquisas sobre o poder transformador das atitudes positivas, esse livro mostra que a maneira como tratamos os outros tem influência direta em nossa felicidade, produtividade, saúde e longevidade.

Seis fundamentos do sucesso profissional
STUART R. LEVINE

Agregar valor à empresa, agir com honestidade, investir nas relações, comunicar-se bem, saber apresentar resultados e ampliar a sua perspectiva de vida: estes são os seis mandamentos básicos para quem quer brilhar profissionalmente.

Com a experiência de quem trabalha há 30 anos com executivos de altíssimo nível, o consultor Stuart R. Levine faz o papel do supervisor ou gerente que todos gostariam de ter, apresentando as práticas, os princípios e as posturas que você deve adotar para fazer com que sua contribuição à empresa e o valor que as pessoas vêem em seu trabalho ganhem outra dimensão.

Faça o que tem de ser feito
BOB NELSON

O ambiente competitivo e o mundo globalizado exigem, hoje em dia, que os empregados corram mais riscos e tenham mais iniciativa no trabalho.

Com conselhos breves, diretos e surpreendentes, Bob Nelson mostra o que cada um de nós precisa fazer para assumir as rédeas do seu emprego, da sua carreira e da sua vida. Esse livro é uma ferramenta inspiradora e motivadora tanto para diretores e gerentes quanto para empregados, um recurso útil para qualquer departamento de recursos humanos e um inestimável investimento para todos os que desejam vencer na vida.

O amor é a melhor estratégia
TIM SANDERS

Ter um trabalho gratificante, ganhar o respeito e a amizade dos colegas, ser capaz de aprender sempre mais, fazer mais negócios, influenciar positivamente as pessoas – estes são os temas de *O amor é a melhor estratégia*.

Tim Sanders apresenta nesse livro os três pilares do sucesso e da realização profissional: conhecimento (que você acumula com sua experiência e, principalmente, através da leitura), rede de relacionamentos (os amigos e contatos que já possui, mas que tem de cultivar) e compaixão (o calor humano que é capaz de transmitir aos outros).

O ritmo da vida
MATTHEW KELLY

O ritmo da vida o ajudará a abordar a questão de quem você é e por que está aqui. Com esse livro, Matthew Kelly o ajudará a descobrir suas necessidades legítimas, suas aspirações profundas e seus talentos únicos. Ele o apresentará à melhor-versão-de-você-mesmo e o conduzirá a uma vida dotada de paixão e propósito.

Esse livro é uma brilhante e perspicaz rejeição do modo de vida caótico que aprisionou o mundo, escrito com bom senso, humor e uma extraordinária inspiração. É um livro destinado a mudar vidas!

Shackleton – Uma lição de coragem
MARGOT MORRELL E STEPHANIE CAPPARELL

Shackleton já foi chamado de "o maior líder que jamais surgiu nesta terra de Deus". Esse livro revela com riqueza de detalhes a grandeza do homem que conseguiu transformar sua malsucedida expedição à Antártida numa história de resistência heróica. *Shackleton – Uma lição de coragem* é um relato inspirador sobre como ajudar cada pessoa a alcançar o melhor de si mesma e realizar o que alguns encaram como tarefa impossível.

Jesus, o maior líder que já existiu
LAURIE BETH JONES

Com as profundas mudanças no mercado de trabalho, as empresas precisam de líderes e gerentes inovadores e criativos. Ao constatar que muitas organizações estavam desperdiçando a energia e a inteligência de seus colaboradores por causa do autoritarismo, da negligência e da falta de visão dos superiores, a consultora Laurie Beth Jones foi buscar inspiração em Jesus Cristo para propor princípios de liderança voltados para o crescimento, a harmonia e a realização de todos.

Numa abordagem espirituosa, a autora compara Jesus a um empresário que montou uma equipe com 12 pessoas que estavam longe de serem perfeitas, mas conseguiu treiná-las e motivá-las para cumprirem sua missão com sucesso. Seu objetivo era construir, e não destruir; educar, e não explorar; dar apoio e fortalecer, e não dominar.

Questões fundamentais da vida
ROGER MERRILL E REBECCA MERRILL

O trabalho é fundamental. A família é fundamental. O tempo é fundamental. O dinheiro é fundamental. Mas o verdadeiro desafio para quem deseja ter qualidade de vida é alcançar um grau satisfatório de sucesso em cada uma dessas áreas.

Muitas pessoas acreditam que é impossível se dedicar à família e, ao mesmo tempo, ser um excelente profissional. Nesse livro inovador, você vai descobrir como isso é possível, além de aprender métodos práticos que lhe permitirão priorizar os laços familiares, solucionar o dilema entre a necessidade de concentrar-se em uma tarefa e a de reagir ao que está ao seu redor e muito mais.

Os 100 segredos das pessoas de sucesso
DAVID NIVEN

Baseado em centenas de estudos científicos, o psicólogo e cientista social Dr. David Niven organizou a lista dos 100 segredos mais simples que podem nos ajudar a ser bem-sucedidos.

Nesse livro, ele se debruça sobre as pesquisas que identificaram as práticas, princípios e crenças necessários para se ter sucesso. De forma simples e agradável, apresenta em cada capítulo uma dessas conclusões, acompanhada de um exemplo real e de um conselho que você deve colocar em prática se quer realmente "chegar lá".

As 5 melhores maneiras de se conseguir um emprego
RICHARD BOLLES

Esse livro foi feito pensando em você que precisa arrumar um emprego para ontem. Considerado o maior especialista mundial no assunto, Richard Bolles passou os últimos 30 anos pesquisando as estratégias dos caçadores de emprego bem-sucedidos para ajudar você a encontrar o trabalho que deseja.

Considerado a bíblia sobre emprego e carreiras, ensina as verdades fundamentais que aumentarão expressivamente suas chances de sucesso na caça ao emprego.

Princípios essenciais das pessoas altamente eficazes
STEPHEN COVEY

Com mais de 15 milhões de exemplares vendidos em todo o mundo, *Os 7 hábitos das pessoas altamente eficazes* se tornou um dos livros mais influentes dos últimos tempos.

Para iluminar os princípios dos *7 hábitos*, Stephen Covey reuniu a sabedoria de grandes pensadores, idéias inspiradoras que podem nos ajudar a realizar nosso potencial, influenciando positivamente o resultado de cada dia.

O homem que confundiu seu trabalho com a vida
JONATHON LAZEAR

Se o trabalho assumiu um papel tão preponderante na sua vida que tudo mais ficou em segundo plano e você anda se perguntando se isso realmente vale a pena, irá encontrar na experiência de Jonathon Lazear a indicação de novos caminhos rumo à felicidade e à realização.

O vício de trabalho é uma armadilha que vai minando suas forças e fazendo com que você se isole da família e dos amigos. Lazear só percebeu o que estava perdendo quando já era quase tarde demais. Mas ele conseguiu mudar e mostra aqui como você pode fazer o mesmo.

Informações sobre
os próximos lançamentos

Para receber informações sobre os lançamentos da
EDITORA SEXTANTE, basta enviar um e-mail para
atendimento@esextante.com.br
ou cadastrar-se diretamente no site
www.sextante.com.br

Para saber mais sobre nossos títulos e autores, e enviar
seus comentários sobre este livro, visite o nosso site:
www.sextante.com.br

EDITORA SEXTANTE
Rua Voluntários da Pátria, 45 - Gr.1.404 - Botafogo
22270-000 - Rio de Janeiro - RJ
Tel.:(21) 2538-4100 - Fax:(21)2286-2286-9244
E-mail: atendimento@esextante.com.br
www.sextante.com.br